KB063022

세상 모든 사랑은 붉어라

b판시선 024

김명지 시집

세상 모든 사랑은 붉어라

도서출판 b

| 시인의 말 |

생각해보니 나는 늘 서성거렸다

누구도 돌봐줄 이 없던 시간을 넘어
다 살았겠다 싶던,
생명이 남았다면 쉰에 이르자 했었다

엄마가 닿지 못한 나이
그 나이를 넘어섰다

나를 돌보는 데 익숙지 않아
누군가를 돌볼 궁리에 바쁘게 살았다

조금 느리게
천천히 웃고 살 일이다

| 차 례 |

제3부

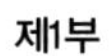
제1부

아버지, 마트료시카

볼가강에서 배를 끄는 인부들*을 보고 와 잠든 밤
꿈에
마트료시카 뚜껑을 열고 아버지가 걸어 나온다

골 깊은 주름 너머로
손을 흔들며 지나가는 인부들이
끌고 가는 명태손수레

목화 같은 눈송이가 펄펄 날리는 길
엿장수의 등장에
작대기를 흔들며 따르는 아이들

명태꾸러미와 엿을 바꾸려는 때
아버지의 기침이 기척으로 들렸다

여섯 다섯 넷 셋
점점 작아지는 아버지

그 아버지가 다시 마트료시카 속으로 걸어 들어갈 때

우리 모두 밧줄로 끌고 가는 파도
하얀 겨울파도

* 일리아 레핀의 그림.

봄동

눈물의 섬 진도에서 온
얼었던 땅이 품었다 내어놓은 첫,
진초록의 푸성귀

백일 지나 젖니 두 개 돋아난 아가의 하얀 잇속을 닮은
너 나 할 것 없이
한 입 쌈 싸 보시라 권하게 하는
아, 달다
달큰한 고백을 낳게 하는

능소화 지는 골목

바람이 미는 대로 걷다 서다
오래된 골목에선 알 수 없는 냄새가 난다
사람도 골목을 닮아
느리게 걷다 서다를 반복하고
담장 밖으로 목숨을 버리는 능소화
그 죽음을 고스란히 받아내는 자동차 모닝
굿 모닝을 기대하는 해 질 녘
바람이 또 밀어낸다

더 오래된 골목으로 들어가자

이월의 초상

어느 해
이틀이 모자라 당신과 이별했어요

어느 해엔 사흘이 모자라 약속을 잊었어요

아직 함박눈 쌓여 좁다란 길
누구도 걷지 않은 길을 헤치며
마을 아래로 당신을 맞으러 가는 날
그날은 하루 뒤
그랬어요,
당신과 나는 이월에 갇혀
모자란 날짜만큼 미워했어요

흙들이 부풀어 오르던 그 시간
말을 잃고
문자도 놓치고
물수제비뜨던 마음을 누르며 수맥을 좇아 내려앉던

풀뿌리들

부풀어 오르던 흙과 묶이려

오래 앓았어요

우리가 사랑을 잃은 달은 이월이었군요

목련

무한화서를 헤아리는 저녁
털옷 벗는 소리 요란하다
봄눈 내리자
목련꽃 핀다

지상으로 올리는 소지
하늘에 봄눈 올린다

한낮 형체를 잃었다가 빳빳하게 원형을 회복하는 수건들 위로
한 점 목련이 핀다
흩날리는 만장들 그 위로 올리는 소지 한 장

꽃이 태어나는 시간

초닷새 달이
내일 필 꽃의 개수를 헤아려
제 몸에 새겨 넣고

그 옆 별 하나
소란스런 바람더러
제발 자라고 훈수하는 밤

벚꽃 엘레지

비 내리자
홀로
아니 우수수 여럿
땅에 둥지를 틀고 차곡차곡 쌓이는
바람이 분다
새로이 얻은 몸에서 또 떠나야 하는구나
하나둘 바람 따라 젖은 이파리인 채 날려 가는데
남은 몇몇 땅을 움켜잡고 안간힘을 쓴다

누구는 이 길을 그와 걷고 싶어
차라리 눈을 감는다 하는데
나는 바닥을 움켜잡은 벚꽃이파리가 가여워
멀리 있는 그대를 잠시 잊는다

화양연화

돌이켜보니
그날이 우리에겐 최초의 찰나였거늘
먼저 당도한 마음 따라
부풀어 오를 대로
부풀어 오르던 살갗

雨水
선암사 홍매 아래 섰다

눈물, 라크리메

천천히

느리게

아주 느리게

익숙해진다는 것

서로에게 스며든다는 것

라크리메*

너울을 버리고

물 빠져 따개비만 성성하던

그곳

채석강을 기억해낸다

켜를 이루며 쌓여가던 그것

팥고물처럼 달큰한 일들도 있었으리라

* Lachrymae: 눈물.

비문

지금쯤 그곳엔
제 몸에 불을 지르며 피어나는 꽃들로
눈길 닿는 곳마다 난리가 났을 테지

도솔암 오르는 길목
다투듯 키를 맞춘 사랑들이 무더기로
신열을 토하고 있을 테지

비문을 몸속 깊숙이 품은
마애불이
지긋한 눈빛으로 그 사랑을 독려하고 있을 터

우거에 홀로 앉아
먼 그곳
갸륵한 꽃빛을 그리워하며
빈 하늘에 붉은 꽃 한 송이 그려 넣을 수밖에

무릇,

세상 모든 사랑은 붉어라

그녀, 정선

겨울 저녁 민둥산에 서서
오고 있는 내일을 빤히 내려다본 적이 있다
그해엔 눈도 없었고
비도 내리지 않아
메마른 갈대 사이를 비집고 다니는 쇳소리의 정체가
필시 장강변의 모래바람이 그녀의 몸을 훑고
정선까지 흘러온 것이라는 생각을 했다

가방을 내려놓고
말라버려 서걱거리는 소리조차 잠들어버린 갈대숲에
그녀와 나란히 누워
민둥산까지의 시간을 되짚어 손가락을 펼친 순간 눈발이
날린다
남은 시간을 헤아리지 말라는 바람의 속삭임
형체를 뚜렷이 나타낸 함박눈 입자 속에
부르르 진동으로 몰려오던 초음파소리
마른갈대들이 불러주는 음표를 온몸으로 받아 적던 그 시간

함박눈의 춤사위 따라 움직이기 시작한 생명연장장치,
그것은 민둥산이 부착해준 기적

잘 살아냈는지 잘 살고 있는지
그 겨울 비어 있는 듯하였으나 꽉 찬 민둥산의 노래에
웃고 울다 천천히 그녀의 아픈 몸에 들어앉았던 정선
등에 매달린 남은 목숨의 시간
괜찮다 정선에 왔으니까
그녀의 마지막 여행은 정선이었고
나풀거리는 바람을 따라
그녀는 정선이 되었다

백중

백중,
그곳에 달이 떴겠구나

오징어 배 집어등이 별처럼 떠 있는 바다
남발이 간 아비를 대신해
한여름 뙤약볕
빨간 칸나를 배후에 두고
가마솥 걸어 하루 내내 팥죽을 끓였던 엄마

뜻도 모르는 말
간조 받으러 오세요를 외우며
동네를 한 바퀴 돌아 채송화 다발 늘어진 대문을 들어서면
가마니 멍석 위에 모여앉아 반기던 아줌마들의 숟가락은
왜 그리 컸었는지

연모가 살고 있다는 성황당을 지나 단골네에 도착할 때면
머리에 이고 간 쌀자루를 어루만지던 엄마

요령소리 울리고
빨강 노랑 종이꽃들 위로 달이 떠오르면
고단했을 팔과 다리도 쉬어야 하는데 왔냐며
엄마의 어깨를 만져주던 석불이 있었지

아버지의 바다를 지나
집으로 오는 길이 참으로 짧았던 그 밤
백중 보름달이 씽긋거리며 따라왔었지

서울 하늘
소금 냄새 짙게 풍기며 달이 떠오른다

가을이 다 갔네라고 말하던 그 시간

굽은 등과
해진 신발을 뚫고 세상으로 나온 엄지발가락
툭툭 차고 지나간 여럿 뒤에
느린 걸음으로 수레를 밀며
그가 당도한 것이다

흐린 글씨로 써내려간 봄날의 초록
이리저리 날아다니던 풀씨들의 춤사위
몸을 흔들고
불을 일으키던 낙뢰가 새긴 여름의 시 몇 편
이건 비현실 같아라고 읊조리며 떨어지던 가을날의 에세이 여러 장
회색도시에도 눈발은 날려
가까스로 움켜잡은 이파리 몇 장
끝내 떨궈낸 오늘
겨울이라고 이야기하는 사람들이 툭툭 차며
지나친 이야기 여럿을

마침내 탈고한,

나무가 내려다보고 있었다

그러고 보니 나무는
일 년 내내
거리의 이야기를 계절별로 제 몸에 새겨
책 한 권 만들어냈던 것

잠기다

잠시 앉았다 가자 생각했다
바닷물은 할매바위 뒤편 너머 더 멀리서
엊그제 보름사리 지났으니 그깟 바닷물쯤이야
사위는 어두웠고
갯벌을 점령한 모난 돌들이 서로 엉켜 있어
잠시 바다임을 잊은 것

이마에 내려앉는 빗방울
지상에 내려와 놀던 별들이 서둘러 제집에 드느라
흘리는 먼지쯤으로
툭툭 쳐낼 즈음
들숨을 모아 님에게 보내는 할배바위

오고 가고 가고 오고
들숨 날숨
드는 물길을 따라 서로 가까워지는데
나만 멍하니 있다 두 발 모두 잠겨

한눈판 마음을 떼어내려

안간힘을 쓰며 바다에서 벗어났다

생 즉 사 사 즉 생

평생을 움직여야 한다

헤엄치지 않고 선 채로 놀래기에게 입을 맡긴 회색암초상어

익사의 위험을 무릅쓰고 존엄하게 회색상어 이빨을 청소하는 청소놀래기

어쩌다 입을 물면 상어는 입을 닫는다

제2부

은혜식당

하루에 두 번 기차가 서는
정선역 앞에 가면
메밀국죽을 끓여 내는 은혜식당이 있다

메밀국죽 시키며 메밀국이 아니네요라고 말을 건네면
메밀죽도 아니라요
카드 안 되고 현금입니다라고 대답하는 어머님이 계시는

구십 도로 굽은 허리가 안쓰러워
무얼 해달라 부탁하기가 미안한 마음
이런저런 농을 건네면
아욱을 넣어 끓이는 게 제일 맛있다고
살면 을매나 산다고 다 늙어 허리병을 고치겠냐고
이웃집의 여든 할멈 허리 수술 후 늙은 영감이 밥상을 차려낸다고
혀를 끌끌 차시며
난 수술 안 할 거야 하신다

잘 쪄서

잘 깎아내

또랑또랑한 메밀이

구수한 된장 풀어 맑은 탕에

남해 어디쯤에서 살다온 멸치와 만나는 그 지점

아욱도 좋아라

시금치도 좋아라

여린 열무와 어린 얼갈이도 좋은

단 취나물과 곤드레는 아닌

한 입

두 입

후루룩 들고 마시다 보면

지난밤 아라리 타령 속 얄미운 서방이 잠시 용서가 되는 맛

어디 간들 이 맛을 느끼랴

하루에 딱 두 번 기차가 서는 정선역

그 앞

은혜식당에 가야만 은혜로운 메밀국죽을 만나나니

지상의 외롭고 고단하고 때때로 쓸쓸한 사람은 정선행 기차를 타시라

민들레의 말

상봉과 이별이 숨 쉬는 것처럼 이뤄지는
고속터미널 근처
대리석 블록담 아래 우리가 있었어

도대체 어울리지 않는 자작나무 일곱 그루와
붉은 소나무 여럿과
혼인식이 치러지는 웨딩홀
돌잡이에 박수소리 요란한 사람들을 등 뒤에 두고
우린 새 땅을 찾아 기꺼이 날아갈 준비가 되어 있었지

허리를 안고 얼굴을 맞대고
누가 먼저랄 것도 없이 찰나를 가르는 달콤한 바람 한 점 기다리던 그때
프리드상조회사의 금장을 단 영구차가 지나가는 거야
하늬바람 한 줄기가 아니었어
있을 때 잘해, 유행가 가사도 있지만
늘 놓친 후 후회를 밥 먹듯 해대는 자손들의 눈물과

조금 가난하고 오래 앓았던 데레사의 회한이 일으키는 바람
버스 바퀴가 끌고 가는 눈물바람에
의지를 상실한 우린 앞다투어 날아간 거야

아직 갈 곳을 정하지 않은 채
빛을 쫓아 색을 더해가는
노오란 어린것들에게
이곳에서 잘 자라
또 다른 눈물바람에 날려
마리아와 요셉과
율리아나의 땅에 함께 가는 게 어떻겠냐고

데레사의 땅으로 가는 버스 꽁지에 달라붙어 노래하는 나

사모곡
—선달그믐

완경이 코앞이라 등이 자주 아프다
왜 그럴까 곰곰
고민이 깊은데
엄마 살아 계실 적 두드린 등짝이
이제야 소리를 내는 듯

비실비실 곧 목숨을 놓을 것 같은 딸내미를 업고 가시느라
손바닥에 불뚜껑을 얹고 사셨던 돌산댁

선혈 뚝뚝 흐르던 생간을 먹이고 철썩
지라를 먹이고 철썩
막냇동생 먹이겠노라 말려 보낸
돌산 큰아버지의 백삼
아비 몰래 꼭꼭 씹으라 일렀건만
퉤 뱉어버린 새끼가 서러워 철썩

밤 깊었으나 모이지 않는 식구들

눈썹 휘날리게 모이라 당부한 말
길 놓칠까 싶어
서둘러 당도할 마음을 불러 앉히며

붉은 피 철철 흐르는
생간을 앞에 두고
뒤란 모퉁이 모란꽃 선명한 요강 단지에
붉은 꽃 피워 올리던 초여름 어느 날
곧 여자에 이를 날 고대하던 딸을 남겨두고
완경에 이르지 못한 채
한숨 깊은 세상을 버린
어미를 그리워한다

철썩
철썩
생간을 씹으며
그녀를 그리워하는 섣달그믐,

등이 아프다

해 질 녘 파리크라상에서 김태정을 읽는다

숨소리 가늘게
눈꺼풀은 천천히
눈알은 되도록 느리게 굴려가며
시집을 읽는다

그가 멀리 있어
이곳에 당도하지 못할지 모르지만
혹여 그가 도착할 즈음
마지막 장을 덮게 머릿속으로 발걸음을 측량하며 한 줄
한 줄 읽는다

달큰한 크림빵 냄새
소리도 요란한 아메리카노 냄새가
까만 활자 위에 내려앉고
보헤미안랩소디의 갈릴레이 갈릴레오를 되뇌이며
미황사 공양간을 들여다본다

어란의 작은 배들이 회항하는 시각
그가 보낸 문자들이 일렬횡대로 항구를 향해 뚜벅뚜벅
걸어간다

가지 못해 미안해요

굴비 예찬

영광 백수 하사리에는
길어지는 해 따라
검붉게 변하는 농부의 낯빛 따라
굵어지는 소금이 있다

칠산바다 괭이갈매기
무한의 숫자로 날아들면
우쭐대며 부는 바람의 방향을 따라
섶간을 마친 조기들이 살을 말린다

덕장 아래
꾸덕꾸덕 마른 오사리굴비*
뜨신 쌀밥 녹차 물에 말아
찐 보리굴비 살 한 점 두툼하게
올려 먹는 호사

* 한식에서 곡우, 보름 동안 잡힌 알이 꽉 찬 봄조기.

한 무더기 고향

오늘은 삼천 원밖에 없네요
무릎 꿇은 그가 수줍게 말한다

어머니 세 개만 넣어주세요
아니요 세 개만 주시면 된다니까요

아녀 더 가져가
아니에요 세 개면 돼요

시청역 지하도 한 귀퉁이
더덕인 것 같지만 잔대인
향기만 더덕인 실랑이 한 무더기
삼천 원어치만 담아달라던 그

닳아 없어진 코르덴바지 주름이
고향 언덕배기를 닮았다

순호 씨와 아가

마혼을 마치기 전 조강지처를 산에 묻고
사 년을 홀로 살던 순호 씨가 아가를 만나 두 달을 살았다
한다
꿀보다 달콤했던 신혼의 날들은 딱 두 달,
아가는 십구 년째 병실에 누워 순호 씨의 사랑을 받아먹으며
곧 일혼이 닥쳐오고
일흔이 넘은 순호 씨는 하루 두 시간의 만남을 위해
끼니도 거르며 제 몸의 서너 배가 넘는 간판을 이고 지고
나른다

세상의 많은 사랑들은
잠시 뒤로 물러서 있으라

이십 년 만에 화장을 하고
가까스로 휠체어에 앉은 웨딩드레스의 아가와
아가를 바라보는 순호 씨의 눈
그것이 사랑이라고

세상에 이런 일이 있다고

네모난 검은 상자가 휴일 오수를 흔든다

물밥

머리를 풀고 울음을 참는 사람들
초혼의 자리 한 귀퉁이에 서서
멈칫거리다 돌아온 다음날엔 왜 그리 허기가 지는지

조금씩 잊혀지자
그러다 아득해지는 날
못난이들끼리 모여앉아 그런 사람이 있었냐는
반문과 반문 사이 서성거리다
대문 밖 물밥 한 그릇에
슬쩍 웃다 돌아가는 추억이었으면 좋겠네

지금은 사라진 성북역에서

소한 다음날
가장 춥다 느끼며 종종거리던 날
지금은 사라진 옛 역
노란 개나리 데리고 흥겨운 봄소풍
경춘선 무궁화열차가 있던
이름도 바뀌어 추억마저 흐려진 곳

추위에 방향을 잃은 비둘기 여럿 갈팡질팡 흔들리는 시간
그리움 한 모금 머금었다 꿀꺽 삼키려는 순간
띵동 날아온 한 문장

칠불암 내려오는 길목 햇살 한 줌 보내오

읽었으나 들리는 햇살소식에
비둘기에게 팝콘 한 봉다리 내어주게 되는
지금은 사라진 성북역

사랑

잠은 잘 잤고
밥은 잘 먹고 있는가
비 내린다 아픈 허리로 나댕기지 말고

나는 조금 전 뭔 노무 폐 사진을 또 찍었다
마지막 검사라는디 참말이었음 좋겄고

봉순 씨,
셋째 보내니
물곰 한 마리 잡아 국 끓여 멕이고
잠 좀 재우소

여든여섯의 남자가 일흔여섯의 각시에게 전화를 건다

머리빗을 찾으시기에 드렸더니
머리 곱게 빗어 넘기신 후,

엄마라는 소리

멀리 뻘밭을 내려다보며 삼식이 매운탕을 먹는데
열다섯에 엄마를 잃었다는
백송식당 새우 튀기는 아줌마가
허리 굽은 당숙네를
엄마, 엄마 하고 부른다
목이 메어 매운탕 국물을 넘길 수가 없었다

엄마라는 소리를 이렇듯 많이 들어본 적이 있었던가
나도 속으로 가만히 되뇌어 보았다
엄마, 엄마, 엄마, 우리 엄마

입술을 오므렸다 가만히 열면
그제야 완성되는
엄마라는 소리
엄마

광화문 비가

아비는 노란 융단 위에 누워 마흔 개째*의 표창을 맞고 있다
내리꽂힌 마흔 개의 수리검은
심장의 피만 원할지 모른다
지리산 산골짝 어느 할미의 정한수가 하늘에 닿을까
울음 우는 바닷가 성황당 솟대 아래 징관의 향내음이 하늘에 닿을까
아이들의 놀이라면 얼마나 좋을까

하늘이여 표창을 거두라 명하시라

아비는 마녀에게 말했다
약속을 지켜 만나만 준다면 노란 융단에서 일어나 앉겠노라고
귀 멀고 눈먼 마녀야
장막 뒤에 숨어 엿보지 말지어다
이미 마흔 개의 표창으로 충분하다

자

이제 일어나시라

그만 일어나시라

과녁은 마녀의 심장,

마흔 개 표창의 날을 돌리시라

* 세월호 유족 유민아빠 김영오 씨의 단식 40일째 새벽에.

척산 온천장에서

울산에서 왔다는 여자 다섯이 호들갑스럽게 온탕 속을 점령했다
구순의 어미 젖통을 문지르며
딸 넷 아이로 돌아간 시간여행에 괜히 끼어
꿔다놓은 보릿자루가 된 나는
문질러줄 엄마 젖통이 없는 디라
탕 속 깊숙이 몸을 담그고
가만가만 내 가슴을 쓰다듬을 수밖에

등을 밀고 다리를 어루만지고
수증기 뿌옇게 내려앉는 사이
자꾸 샘이 나는 나는
건너편 남탕의 일천구백삼십 년생 아버지를 생각할 수밖에

신문을 보다가

조간신문을 펼 때마다
누군가 죽어 있다

활자가 메고 가는 운구행렬 뒤로
수령 천 년의 비자나무가
이승과의 이별을 앞두고
새 생명으로 태어났다

저, 공간
청록빛 날개 퍼덕이며
수직 강하하는 천 마리의 비단벌레
황금 물에 날개가 눌린 비단벌레가
공간을 비우며 날아오를 내일

제 나이보다 더 오래 남을 수 있다니,
천 년 햇살이 고스란히 담긴
비자나무 그릇을 보며

세월을 건너
누군가의 양식이 담겨질
공간을 헤아린다

제3부

곤드레밥

고양이 발자국 소리를 닮은
첫눈이 내리면
그곳에 들어
그 사람을 부르자

화질령 어디쯤에서 길을 잃어
서른 번의 가을이 지나도록 당도하지 못하는
그 사람을

숨죽인 낙엽소리 끌어 모으고
덕산기 골짜기 골바람 아궁이에 불러들여
화라락 타오르는 불길에 작은 솥을 하나 걸자

계절이 바뀔 때마다 부서지지 않고
봄날의 맛을 품고
마른 몸을 잘 지킨 곤드레 한 주먹 삶아내
방금 지어낸 밥과 함께 커다란 양푼에 담아

늦게 온 이유 따윈 상관도 없이
만항재 오르던 그날처럼
밥을 비벼 묵묵히 먹자
고요한 침묵 같은 맛을 느끼며
원망도 한숨도 비벼버리자

곤드레 나물밥 한 양푼에 고개를 박고
숟가락도 부딪치며
맛이 괜찮냐고 물어도 보면서
서른 번의 가을을 지워버리자

알싸한 바람이 분다
문밖에 첫눈이 곧 당도하겠다

그날

그녀가 가장 멀리 떠날 수 있는 곳이 속초였다

배를 타고 목포로
기차를 타고 서울로
버스를 타고 속초로

바다를 건너 최대한 멀리 도망 나왔지만
결국 바다였던
암죽 먹여 키웠던 막내를 만나
문풍지 밖으로 새어나오던 한숨조차 참아내며
알아듣지 못할 방언을 쏟아내던 큰 고모

그녀의 사월이 왔다
그날이 오늘이구나
사월 그리고 삼일

새끼를 묻어주지도 못했어야

서방이랑 나만 살았당께,

온몸에 박힌 피 냄새의 기억을 피해
설악산 산그늘에 숨어들었던
서귀포 큰 고모

폭낭

구좌읍 동복리 폭낭* 한 그루
남으로 남으로 가지를 뻗은 편향수
소금기에 가지 한쪽은 생명을 놓치고
삼백 년이 넘도록 시간보다 느리게 제 키를 늘이고 있다

그날, 누이를 잃은 서귀포 철수오빠
감귤 밭에 오체투지로 살고

함께였던 두 그루 떠나보내고
바람의 방향에 제 몸을 맡긴 채
괜찮다 읊조리며 봄을 맞는 동복리 폭낭

* 제주도 방언으로 팽나무.

가을 담쟁이

그대,

등걸로 그곳에 계시니

나

오래오래 기대어 살아가겠습니다

혹여

한두 잎 떨어져 시린 날 있을지라도

지체의 부족함으로 다 말라갈지라도

붉디붉은 시절이 있었음을

부디 잊지 마시길

노을이 지고 있습니다

그리하여 함께 붉어집니다

어린 꽃 봄꽃인 아해들아

그랬구나,
봄은 미리 알았구나

그리도 빨리 벚꽃이 피고
무슨 난리라도 난 듯
순서도 없이 꽃들이 마구 피어 벌들의 사생활을 훼방 놓고
채밀 시간을 헷갈리게 하더니
인간의 꽃인 너희들을 한꺼번에 놓칠 줄 알기라도 한 듯
봄은 그리도 빨리 꽃들을 내어놓느라 정신없이 굴었구나

앵강만 돌아 나오는 길,
청보라의 등꽃이 빛을 포기한 채 숭어리숭어리 피고 있다
한꺼번에 내걸린 조등들

아해들아
어린 꽃 봄꽃인 아해들아
하늘나라에서도 꽃으로 피어날 아해들아

깜깜한 바닷속 동굴에서 너희들이 남긴 말
괜찮아……사랑해……
어찌 너희들을 잊겠느냐
사월 그 자체인 아해들아
죄 없는 너희들이 간 나라
그곳으로 우리도 갈 수 있을까

해마다 사월이 오면
개나리 산수유 민들레
장다리꽃 피나물꽃으로 피어나
지켜주지 못한 어른들에게 빛으로 다가올 아해들아
우리의 울음을 받아다오
우리의 눈물을 용서해다오
제발
제발
너희들의 나라에서
이 불쌍한 나라

지상의 대한민국호가 표류하지 않게 돌봐다오

노래하다

—P의 결혼식장에서

나

당신과 함께함이

백사실에 들어

맹꽁이 울음소리 들으며

아, 참 좋은 봄이다

소리 내는 것과 같이

신비한 일이어서

별빛 짙어 푸른 밤

실개천가 오롯한 일가가 되어

맨발로 물장구치며 흥얼거림과 같이

마냥 신나는 일이어서

목백일홍 흐드러지는 날

앞서거니 뒤서거니

잇속 드러내 보이며

시나브로 쌓인 눈

폭설이 된다 해도
천천히 스며들어
익숙해지는 그날

먼 후일
서로의 볼우물에 담긴 이야기
쓰다듬으며
나지막이 웃는 당신을 보는 나

그대 눈길 닿는 곳에
나 있음을,

그래요 우리,
수천수만의 시간 뒤
가만히 어루만지는
서로가 되어요

담배가게 아가씨

그녀는 새초롬 이쁜이
드르륵 도르래 달린 여닫이문을 열고 들어가
거북선 한 갑 주세요 하면
박하사탕과 거북선을 주던 그녀

달도 없던 그믐밤에 나가
가출한 지 열흘이 지나자
단골네는 범바위 굴속에 있다 하였고
아비는 낫을 들고 단골네를 죽이겠다고 했다

보름 만에
한가위 단대목 모두들 분주하던 한낮
방파제 삼각바위에 떠오른 그녀는
현모양처의 낯빛을 한 채 벌거벗겨져 가마니를 덮고 누워 있었다
내가 목도한 두 번째의 죽음

삼 년이 지난 어느 볕 좋은 날
지푸라기로 엮인 풀각시되어 그녀가 시집가던 날
창호지 구멍을 뚫고 귀신들의 신혼방을 엿봤던 내게
담배가게 아줌마가 들려준 알사탕 한 봉다리
달달하여서 무서움조차 잊게 했었지

섣달그믐

올림픽선수촌 아파트 엘리베이터 속
계단을 닦아 내려가던 한 사람과
계단을 닦아 올라가던 한 사람이 잠시 만나 웃는다

한 해 닦아내느라 애썼다며
한 해 쓸어내느라 애썼다며
서로의 어깨를 두드리는 마음

묵화 2

하동 춘양골 기원정사 비탈길
산중 논
물 댄 지 며칠이나 되었을까
무릎이 아파 이러지도 저러지도 못하고
엉거주춤 할배가
쑥쑥 올라오는 어린 모 내려다보는 저 그윽한 눈길

밥이 다디단 이유였구나

서어나무 숲에 들다

앞서가는 그의 뒤
가만히 따라 가노라면
그가 디딘 발자국 겹쳐져
모래바람 속 그 밤을 불러오고

새로이 태어나는 초록 이파리들
줄지어 행렬을 이룬 뻘게와 눈 맞추는 시간
숨구멍 속에 가둔 사연 신파조로
십리포를 내달리고
해안선 끝에 선 연인들
갈매기들과 박수치는 그곳

순댓국 한 그릇에 공깃밥 둘

아주 오래전
아이를 놓치고 시장통을 터덜터덜 걷는데
배가 너무 고팠다

이천 원짜리 순댓국집에 들어
사정없이 뿌려진 들깨가루를 걷어내고
비닐포장을 쿡쿡 찌르는 비린내
구부러진 허리를 버린 새우젓을 내려다보며
그래도 먹어야 한다고 생각했다

그 후 오랫동안 순댓국을 먹을 수가 없었다
한 달 내내 우기인 허름한 골목 속
우기의 추위를 건너려고
순댓국집 문을 밀었다

탁자 여섯 개
서른쯤 되어 보이는 부부가 아이 다섯을 데리고 와

순댓국 세 그릇에 공깃밥 일곱 개를 시켰다

망설이며 숟가락을 부딪치는 소리,
오래전 놓쳐버린 내 아이가
탁자 앞에 앉아
저도 공깃밥을 시키고 있었다

순댓국 한 그릇에 공깃밥 둘

유물론

절대 들어가지 마시오
절대 앉지 마시오
절대 눕지 마시오
기울기 시작한 만세루
천년의 소리를 삼킨 법고와 목어

여기도 저기도
앉지 마시오
유물에 앞서
대웅전 돌계단에 앉아
비스듬히 극락전을 바라본다

사랑이라 말하자

내 신부야
네 입술에서는 꿀방울이 떨어지고
네 혀 밑에는 꿀과 젖이 있고
네 의복의 향기는 레바논의 향기 같구나
—아가서 4장 11절

나는 보았네,

바닥을 기어가는 남자 하나 진행 방향을 놓쳤다
비릿한 삼겹살 냄새와 졸음에 흔들리며 선 채로 내일이라 말하는 취객 몇몇 사이
출렁이며 시선을 가르는
서로를 향한 저 간절한 언어
꽃을 향한 나비의 춤사위가 저렇듯 아름다울까

은회색 기다란 의자
마주앉은 두 사람
도처에 숨어 피는 사랑의 꽃
손가락은 손가락이 아니다
눈은 서로를 담아 눈부처로 태어나고
소리 내지 않는 입술은 간절함으로

꿀향을 뿜어낸다

용산역을 떠나 병점을 향하는 막차 5-3호
시나브로 취해가는 사람들 중에
술람미와 솔로몬
둘만이 전체이다

아픈 밥

엄마 생각나 마음 한 귀퉁이 싸해지는 밥
쌀보리 귀한 강원도에서 살아내느라
늘 서늘했을 울 엄마
옥수수쌀 한 됫박 얻은 날
향일암 언저리 고향땅 그리워
옥수수밥에 알타리 꼭꼭 씹어 어금니 부딪히던 소리

밥이 서럽다
돌산댁의 옥수수밥

밥을 안치다
마음을 안치다

제4부

너는 나의 봄이다 말하리

삼 년,
너를 놓치고도 밥을 먹고 차를 나누고
잠을 잤었다
잠 속에서 꿈도 아닌 것을 붙잡고
빙빙 돌다 멈춘 어느 지점
그곳이
잠을 버리고 꿈도 놓치고
결국은 목 놓아 너를 부르는 그 지점
그래 여기로구나 팽목!

다시 해가 뜬다

보고 싶다

자그락거리던 구계등 몽돌소리를 닮은

입속에서 가만히 굴러다니다 소리로 변하여 나오면

말하는 이나 듣는 이가 저릿해지는 말

여러 번 되뇌이다 가슴에 손을 얹어보면

괜히 따뜻해지는 말

보 고 싶 다

기억을 갉는 기억

아침이면 갉아먹은 잇자국으로
다이알비누가 무서움에 떨고 있었다
서생원은
비누와 달리아 구근을 감쪽같이 먹어치우고
시침을 떼고 제집으로 가버린 뒤
비누단속을 하지 않은 언니는 혼이 났고
우리는 쥐가 미웠다
월급쟁이 시절엔
수많은 흰쥐들이 연구실에서 죽어나갔다
때로는 밤새 태어난 어린 쥐들을 섞어놓고
母性을 확인하는 재미도 있었다
쥐는 자취방 연탄아궁이 앞에
섬뜩 나타나기도 했다
지금도 나는 쥐와 산다
땅끝에서 온 고구마가 쌓여 있고
마당에 심은 감나무에서 가끔 감도 떨어진다
그러나 쥐들은 거들떠보지도 않는다

다만 늙은 아버지의 기억을 갉아먹을 뿐이다

봄에 하는 생각 하나

섬진강 봄소식에 눈을 빼앗기고
마음만은 단단히 붙잡느라 마실을 돌다
동네 마을버스 정류장 앞 붉은 매직펜 폐업안내가 걸린
돼지갈비집 고사목 위에 봄이 앉아 있었다
노란 영춘화

보송한 털옷을 입고
뽀얀 꽃을 숨기고 있는 마당 목련나무에도
간지러운 봄은 와
눈에 입술에
봄이다 봄이다
마음은 아직 봄이 아니라고 도리질을 하다가
폐선이 되어버린
경춘선 경강역을 생각한다

교행하는 건너편 선로 위 기차 속
그간 놓친 봄의 시간들이 있을 것만 같아

자꾸 있지도 않은 무궁화기차를 타고 경강역에 가고 싶다고

당부

날마다 하늘에 가까워지고 있다
죽으면 묻지 마라
태워서도 항아리에 담지 마라
고향 언덕에서 훨훨
날개 한번 달아보자
늙은 아버지 병문안하고 돌아오는 길
여덟 가구 사는 연립주택 지하 창살에 매달린
애달픈 기도문에
빈 주머니가 서러운 깊은 밤,
명자꽃은 왜 이리 붉게 피었단 말인가

"할머니의 발, 유모차 가져간 사람 도로 갖다 놓으세요"

붉은 벽돌집에 꽃이 피었다

나는 저 남자의 얼굴을 안다
늦은 밤 살그락거리는 봉다리를 흔들며
'봄날은 간다'를 쇳소리로 불러내던 이
그의 발밑에서 밟히던 싸라눈 소리가 반주가 되던 그 밤
노래가 끝나면 창문이 열리고
답가가 나오는 듯 손 하나가 나온다

당최, 봄이 올 것 같지 않던 겨울
뒤따라 걸으며 봄을 기다리던 내 눈 속에 잡힌
봉다리를 받아드는 조그마한 손 하나
잠시 들른 손님인 양
창틀 안으로 눈길을 넣고 주춤거리다 바로 등 돌리던 그

아이가 아빠를 만나 손을 잡았다
아빠 손을 잡고 엉거주춤
까르르 웃음소리에 나풀거리며 떨어지는 명자나무꽃
어스름 저녁 햇살도 비껴가는 좁다란 골목 안

롤러블레이드 바퀴에 붉은 명자나무꽃이 떨어져 앉자
쑥덕쑥덕 다투어 피어나는 꽃들
지층 밖으로 난 창문 안쪽으로
등불을 들인다

아버지가 보낸 봄

엤다! 받아라!
환자복을 벗고 아이의 웃음을 보여주시는
성근 그물 같은 아버지의 주름에는
빠져나간 잡어들이 남긴 비늘만이 반짝였습니다
아프신 몸이셔도 서울 가는 딸내미를 그냥 보낼 순 없으셨는지
이런저런 것들로 가득 박스를 꾸린 아버지
집으로 돌아와 상자를 열다가
무릎을 꿔고 앉아 울었습니다
생선 봉다리 맨 아래
"어른 모시고 사느라 고생이 많다 우리 딸 좋아하는 커피 사 마셔라"
푹 젖어 찢어지려는 봉투 속에
만 원짜리 다섯 장이 비린내를 먹고 앉아 있었습니다

말간 수평선에 걸터앉은 봄

봄이 오는 바다 안쪽에 앉아 계신 아버지

아버지 때문에 그렁그렁 봄이 또 왔습니다

심장 같은 사랑이라니

은찬이가 말했다
심장 같은 마음으로 동생을 사랑한다고

밤 깊어 늦어진 저녁을 먹는다
식구들이 먹다 남긴 콩나물밥에 양념장을 넣고 비비다
심장 같은 사랑에 체한다

심장 같은 사랑이라니
콩나물비빔밥을 콩나물탕으로 만든
열한 살 은찬이

낙화

바람의 방향을 보러 여기까지 왔다
거룩하기까지 한 저 몸짓들

분원리 지나 귀여리 가는 길
출렁거리는 곡선들
난분분, 강물 위 또 하나의 꽃을 그리다

첫,

까치밥 도둑질하러 가지에 앉은 뱁새 한 마리와
붉은 감 몇 알 사이
안간힘을 쓰듯 첫 것처럼 내리는 저 결정들
올까 말까
갈까 말까 망설이고 주저하는 마음들을 닮았구나

어느 순간
커다란 송이로 확장되는 첫 마음을 닮으려는 듯
십이월의 첫날
첫눈으로 변신한 오래전 첫 마음을 들여다본다
빈 가지 사이 걸터앉으려 출렁이는 눈발들

첫눈이 온다고 전화하고 부호를 날리는 사람들과
망설이는 사람들
첫 마음이 오고 있다고
먼 곳에서 누군가 첫 마음을 날리는 거라고

그해 겨울

이 이야기는 전설이 아니란다
엄마 손을 잡고
아빠 어깨에 무등 탄 네가 보고 듣고 겪은 일이지
손가락 열 개와 두 발 그리고 더 무엇을 보탤 줄 모르는 아이의 눈에
셀 수 없는 불씨들을
어른들이 백만 촛불이라 부를 때
발갛게 상기된 네 뺨 위 패인 볼우물에
까르르 까르르 고이던
곧 봄이리라 믿게 하는 초록의 이파리들

큰 소리로 노래하는 어른들의 두 팔 아래 넘치던 희망이라는 물결은
오래전
오월의 피눈물을 먹고
새로이 태어난 민주주의였지
정치는 곧잘 비틀거렸고 많은 목숨을 걷어가

또 다른 계절 어느 해 여름 유월,
청년의 이름으로 무장된 열정들은
뿌연 최루가스에 기침을 토하고 벌건 얼굴로 명동성당으로
쫓겼었지
어깨를 겹친 넥타이부대 속에서 사랑도 했지
오직 민주주의를 노래한
흔들림 없던 무수한 사랑

성하의 계절만 있을 순 없나봐
그해 겨울은 겨울임을 증명이라도 하듯
서늘하고 스산했어
순간의 선택은 역사의 바퀴를 거꾸로 돌려
망연자실한 사람들의 피울음이 광장으로 몰려든 날
분노와 한탄이 무한대로 쏟아져 나오던 그 순간
마법처럼 첫눈이 내렸어
셀 수도 없이 많은 사람들 머리 위로
그 수만큼의 눈이 내려온 거지

간절함이 이뤄낸
네가 맞은 첫눈은 전설 같은 눈이었어
볼우물에 함박눈이 닿자
장미꽃처럼 환한 촛불들이 일제히 손을 흔들었지

어디서든 바람의 방향은 있어
그 길을 찾아가는 무수한 촛불들
촛불 홀로 탈 수 없어
우물쭈물하던 바람이 함께 움직이던 그곳
우린 그곳을 촛불광장이라 불렀어

이 이야기는 전설이 아니란다
이천십육 년 그해 겨울
할아버지 할머니 아빠 엄마 고모 이모 삼촌들과
세 살 다섯 살 너희 남매가
첫눈과 함께 이룬 혁명의 이야기란다

족제비 가족

보일러 공사를 하려고
설비집 박 사장이 왔다
장비 실린 오토바이소리 요란하고
마당 귀퉁이 창고에서
집기들을 꺼내려는 찰나!
검은 비단이 딸려 나온다
주인도 모르게 세 들어온 족제비 일가족
불시에 들쳐진 삶의 근거 앞에
어미아비족제비 마당가를 맴돌고
어린것들의 흔들리는 시선 속엔
엄마 잃은 내 모습이 들어 있다

배 볼록한 설비집 박 사장
그것들을 잡으려고 눈알이 벌게지는데
대문 밖으로 그를 쫓으며
공사를 미뤘다

난데없이 이삿짐을 꾸리게 된 족제비 가족
춥고 시린 길
누구도 모르게 가라고
외등을 죽이고 어둠을 불러 불침번을 세웠다

공사 날
빈 창고이겠지 하며 안을 들여다보니
살찐 지렁이 한 무더기
오롯이 앉아 있다
가솔만 이끌고 서둘러 떠난 족제비 가장
일용할 양식을 두고 갔다

| 해 설 |

붉은 날들의 카니발레스크carnivalesque

이민호(시인, 문학평론가)

1. 풍속의 시학

시를 읽는 일은 시인의 마음을 들여다보는 설렘이다. 그렇게 시인의 마음을 읽고 다시 시를 보면 눈물겹다. 함부로 말하지 못했던 깊은 속내가 오롯하다. 김명지의 시는 읽다보면 어느새 자갈밭 새를 흐르는 물가에 서게 된다. 그만큼 현대성에서 멀어져 옛 정서로 물길을 댄다. 잊고 있던 마음밭에 가서 한참을 있다 오도록 등 떠민다. 그렇게 다시 돌아와 김명지의 시를 읽어 보라. 그러면 한때 나고 죽고 살고 헤어지고 슬프고 기쁘고 아련했던 풍속風俗과 만나게 된다.

우리는 번듯한 풍속의 시인을 두었다. 마음을 빼앗은

시인들이다. 시를 징검다리로 수없이 오갔을 소월과 영랑과 백석은 어떤가. 지금은 어느 마음속에 자리 잡고 살고 있을까. 문전박대하여 쫓아버린 시속時俗이 아쉽다. 풍속은 켜켜이 먼지 앉은 쓸모없는 물건이 아니다. 쌓이고 쌓인 시간의 적층이며 우리 몸속에 동거하는 생활이며 삶의 습관이다. 무엇이 우리에게 붙어살고 있는가. 달라붙어 발걸음을 내딛지 못하게 할까. 이 무섭도록 서러운 일들이 풍속이다. 떨치려 해도, 덜어내려 해도, 잊으려 해도, 외면하려 해도, 모른척해도, 거부해도, 부정해도 어느새 곁에 있는 섬뜩함.

소월은 죽음의 풍속을 전해주었다. 소월의 시를 읽으면 아니 읊조리면 영혼이거나 그것도 아닌 귀신이거나 그것도 못 되는 바람이 애를 끊어 놓는다. 그러다 기진맥진 쓰러질 것 같을 때 극한의 애도 속에 살아갈 이유 하나쯤 문득 맺히게 한다. 영랑은 삶의 풍속을 눈부시게 보여주었다. 구름이 짙고 어둠이 몰려올 때도 금세 낮빛을 환히 드러내어 반짝이게 목숨을 기쁘게 한다. 허기지고 서럽고 울울하고 괴이하고 허전하고 전부 내려앉을 때 어린 마음으로 불끈 일어서게 한다. 백석은 어떤가. 맛난 시의 풍속을 올려놓았다. 백석의 상차림에는 모닥불에 모이는 재당, 초시, 문장늙은이, 더부살이 아이, 나그네, 땜쟁이의 슬픈 역사가 차려져 있다. 그 이야기를 나누며 먹으며 우리 모두 다름없이 똑같다는 위안을 얻는다.

이처럼 김명지의 시에도 죽음과 삶과 음식의 풍속이 자리하고 있다. 소월과 영랑과 백석을 마음에 품었던 때가 있었다면 김명지의 시는 낯설지 않게 우리를 환대할 것이다. 그의 시를 읽는 일은 붉은 마음과 만나는 시간이다. 그는 살면서 만나면서 헤어지면서 죽음을 대하면서 언제나 붉어졌던 날들을 이 시집에 차려 놓았다. 일편단심一片丹心, 그의 시는 한 가지 생각으로 마음을 모을 때마다 먹는 음식, 절식節食이다.

2. 겨울, 봄, 여름, 가을의 절식節食

김명지는 지금 겨울 문턱에 서 있다. 그의 삶은 봄에서 출발하는 순리를 거슬러 느닷없이 겨울 언저리에 있다. 가을은 곧 끝날 것이다. 겨울은 멀지 않았다. 이 간극에서 그의 시가 태동했다. 전통적으로 겨울 풍속은 지난 한 해의 회고와 반성, 새로운 계절을 준비하는 기간이다. 그처럼 그의 시는 경계적이며 양가적이다. 다시 돌아갈 수 없으며 다가오는 시간을 선뜻 받아들일 수도 없는 실존 앞에서 머뭇거리고 있다. 그리고 무언가 준비해야 한다는 생각이 심중에 깊이 닻을 내리고 있다. 이후 계절은 다시 봄으로 향하고, 여름을 돌아 가을에 닿는 그만의 세시풍속을 엮어 나간다.

그런데 이 시간의 흐름은 과거에서 현재로 다시 미래로 흘러가는 순차적 형식이 아니라 지금, 여기, 기억 속에서 건져 올린 잔상과 같은 것이다. 그러므로 이 시집에서 시간은 속절없이 사라진 환상이 아니라 현실에서 구체화되고 공간화된 시적 세계이다. 그의 삶을 통과한 결정체 같은 것이다. 그것은 시작도 끝도 없는 삶 속에 펼쳐지는 서사극이다.

굽은 등과
해진 신발을 뚫고 세상으로 나온 엄지발가락
툭툭 차고 지나간 여럿 뒤에
느린 걸음으로 수레를 밀며
그가 당도한 것이다

흐린 글씨로 써내려간 봄날의 초록
이리저리 날아다니던 풀씨들의 춤사위
몸을 흔들고
불을 일으키던 낙뢰가 새긴 여름의 시 몇 편
이건 비현실 같아라고 읊조리며 떨어지던 가을날의 에세이
여러 장
회색도시에도 눈발은 날려
가까스로 움켜잡은 이파리 몇 장
끝내 떨궈낸 오늘

겨울이라고 이야기하는 사람들이 툭툭 차며
지나친 이야기 여럿을
마침내 탈고한,

나무가 내려다보고 있었다

그러고 보니 나무는
일 년 내내
거리의 이야기를 계절별로 제 몸에 새겨
책 한 권 만들어냈던 것

—「가을이 다 갔네라고 말하던 그 시간」 전문

김명지의 시법은 극적劇的 요소에서 찾을 수 있다. 극적 상황, 극적 인물, 극적 구조가 시를 구성한다. 시인 말고 무언의 '그'가 등장하면서 시는 시작한다. 그리고 고단한 인생을 밀고 온 인물 '그'를 앞에 두고 마치 저간의 사정을 이야기하듯 들려주고 있다. 당신은 이렇게 여기에 지금 와 있군요 말함으로써 생동감 있게 극적 상황을 연출한다. 그리고 갑자기 나무라는 사물로 시선을 돌려 지금, 여기, 이렇게 일어난 상황, 그 시간에 대해 모두 동참하고 있다는 사실을 주지시키고 있다. 이때 독자 또한 방금 당도한 고통스런 삶의 이력과 이 시집을 엮게 된 사정에 참여하는 극적 구조를 완성한다.

그와 나와 나무와 독자가 엮은 시집의 공동체적 사유는 카니발의 세계라 할 수 있다. 고고한 단 위에서 내려와 부활을 앞두고 금식에 들어가기 전, 이전에 없었던 세상으로 들어가는 축제의 언어다. 그러므로 김명지의 시 세계에는 흉측하게 뒤틀린 버려진 몸과 불같은 열정을 품은 서정과 현실부정의 인식과 세시풍속의 시공간이 자리하고 있다.

붉은 피 철철 흐르는
생간을 앞에 두고
뒤란 모퉁이 모란꽃 선명한 요강 단지에
붉은 꽃 피워 올리던 초여름 어느 날
곧 여자에 이를 날 고대하던 딸을 남겨두고
완경에 이르지 못한 채
한숨 깊은 세상을 버린
어미를 그리워한다

철썩
철썩
생간을 씹으며
그녀를 그리워하는 섣달그믐,
등이 아프다

—「사모곡」 부분

겨울은 그리움의 계절이다. 혹은 회한이 몸속에 깃들어 신딸처럼 아프다. 그 앞에 놓여진 '붉은 피 철철 흐르는 생간'의 이미지는 이질적이며 그로테스크하다. 이 생경함이 그리움의 깊이를 더욱 곡진하게 한다. 서로의 몸을 섭취했던 카니발리즘처럼 격하게 죽음을 맞이하는 이 풍속은 다시 태어나기 위해 죽으려는 행위라 할 수 있다. 이는 '세상을 버린 어미'와 '초경에 이를 딸'의 삶과 죽음의 이중주이다. 겨울은 죽음처럼 다가왔지만 생명이 울창한 여름도 거기 함께 있다. 열린 몸과 삶과 죽음의 허물어진 경계와 피 흘리는 몸의 하부로 내려가려는 의지는 붉은 이미지의 과잉 속에 흘러넘친다. 그럼으로써 우리 삶이 고정돼 있지 않고 변화하는 생성체임을 보인다. 아직 완결되지 않은 '딸'의 시간을 생간을 먹듯 흡입하므로써 죽음의 공포를 이겨내고 재생하려는 강렬한 바람이라 할 수 있다. 그 소원을 이루기 위해 더불어 할 수 없는 것들의 공존을 꿈꾸며 시인은 때마다 음식을 차리고 먹고 나눈다. 그것은 모두 지금, 여기에서 일어나는 삶의 지경地境이다. 이월에 이루지 못한 사랑(「이월의 초상」), 봉다리를 받아드는 조그마한 손 하나(「붉은 벽돌집에 꽃이 피었다」), 사람들의 피울음이 광장으로 몰려든 날(「그해 겨울」), 우리 모두 밧줄로 끌고 가는 겨울파도

(「아버지, 마트료시카」), 마지막 겨울 여행(「그녀, 정선」), 소한 추위에 비둘기에게 던져주었던 팝콘(「지금은 사라진 성북역에서」)마저도 거울처럼 떠오른다.

> 계절이 바뀔 때마다 부서지지 않고
> 봄날의 맛을 품고
> 마른 몸을 잘 지킨 곤드레 한 주먹 삶아내
> 방금 지어낸 밥과 함께 커다란 양푼에 담아
> 늦게 온 이유 따윈 상관도 없이
> 만항재 오르던 그날처럼
> 밥을 비벼 묵묵히 먹자
> 고요한 침묵 같은 맛을 느끼며
> 원망도 한숨도 비벼버리자
>
> —「곤드레밥」 부분

부서지지 않는 봄날의 맛을 누가 맛보여 주는가. 김명지만의 세계다. 비로소 겨울의 양가적 가치에서 벗어나 통합을 이루는 봄의 향연에 이르렀다. 봄날은 죽음과 잇닿아 있다. 하지만 견딜 수 있다. 봄이 품은 재생의 힘이 더 강력하기 때문이다. 이 생명 욕구는 김명지의 손맛을 통해 시각적 한계를 훨씬 넘어 온몸으로 느낄 수 있다. 식욕은 삶의 의욕으로 변주되어 이를 불러일으키는 시의 맛은 남다르다.

분별이 없는 시절, 모두가 생을 구가하는 때, 비록 만항재를 오르듯 가파르지만 구별 없이 통합되는 이 동질성은 삶의 실재다. 그리고 김명지가 추구하는 시의 모습이다. 그 세계는 관념을 넘어 현실과 가까이 있다. 그래서 동기간을 잃은 슬픔(「폭낭」)과 병환 중인 아버지(「아버지가 보낸 봄」), 세상에서 유배당한 세월호 아이들의 비극(「어린 꽃 봄꽃인 아해들아」, 「너는 나의 봄이다 말하리」)도 함께 버무려 극진한 애도로 승화된다.

삶과 죽음의 경중을 따지는 일이 헛되지만 봄날에는 그래도 삶의 끈이 더 팽팽하다. 죽음의 편에 서서 까무러치듯 혼절하지만 다시 일어서게 하는 삶의 욕구가 밥을 짓고 상을 차리고 입에 넣어 삼키는 이 갸륵한 행위는 종교적이다. 그래서 김명지 시의 한 축은 죽음의 제례 끝에 나누는 음식처럼 심심하지만 씹을수록 달다. 아니면 '백일 지난 어린아이의 잇속 닮은 달큰한 고백'(「봄동」)처럼 서툴고 어리며 수줍다. 아직은 묵은지를 바랄 때가 아닌 것이다.

백중,
그곳에 달이 떴겠구나

오징어 배 집어등이 별처럼 떠 있는 바다
남발이 간 아비를 대신해

한여름 뙤약볕
빨간 칸나를 배후에 두고
가마솥 걸어 하루 내내 팥죽을 끓였던 엄마

뜻도 모르는 말
간조 받으러 오세요를 외우며
동네를 한 바퀴 돌아 채송화 다발 늘어진 대문을 들어서면
가마니 멍석 위에 모여앉아 반기던 아줌마들의 숟가락은
왜 그리 컸었는지

연모가 살고 있다는 성황당을 지나 단골네에 도착할 때면
머리에 이고 간 쌀자루를 어루만지던 엄마
요령소리 울리고
빨강 노랑 종이꽃들 위로 달이 떠오르면
고단했을 팔과 다리도 쉬어야 하는데 왔냐며
엄마의 어깨를 만져주던 석불이 있었지

아버지의 바다를 지나
집으로 오는 길이 참으로 짧았던 그 밤
백중 보름달이 씽긋거리며 따라왔었지

서울 하늘

소금 냄새 짙게 풍기며 달이 떠오른다

—「백중」 전문

김명지의 시에서 여름은 이야기로 가득하다. 뜨거운 뙤약볕 내리는 동화의 세계다. 비록 그가 거주하는 곳이 서울일지라도 마음은 전설이 있고 신화가 자리하는 옛 시절로 줄달음친다. 거기에 지금은 부서지고 깨어진 삶의 원형이 자리하고 있기 때문이다. 봄날 아무리 꾸역꾸역 먹어도 채워지지 않은 허기가 왜 그런지 기억의 편린을 뒤져 수고스럽게 떠먹여주려 한다. 여름에 먹었던 팥죽의 이미지는 겨울 팥죽의 벽사辟邪 의미보다 삶의 원기를 북돋는 뜻이 더 강하다. 그런데 여름 열기와 빛의 표백 작용은 지난 시절을 증류시켜 팥죽의 훈기만을 남겼다. 눈으로 혀로 맛봤던 과거의 시간들은 이제 냄새만 남아 킁킁댈 수밖에 없다. 김명지의 현실 인식을 맛보게 되는 순간이다.

랑시에르가 말했던 '킁킁대는 동물'로 살아야 하는 '말하지 못하는 존재의 실존'이 갑자기 떠올라 처연하다. '말하는 존재'로 살지 못하는 메마른 현실이 소금기 짙은 달의 행로를 따라 반복되는 생활이 선연하다. 그럴 때마다 김명지는 인문지리적 공간으로 우리를 이끌고 가 몸과 마음을 보補하여 준다. 메밀국죽을 끓여 내는 은혜식당(「은혜식당」), 삼식이 매운탕집 옆 새우 튀기는 백송식당(「엄마라는 소리」),

크림빵 냄새가 이끌고 간 미황사 공양간(「해 질 녘 파리크라상에서 김태정을 읽는다」), 찐 보리굴비 살 한 점 두툼하게 올려 먹는 영광 백수 하사리(「굴비 예찬」) 등등.

그대,
등결로 그곳에 계시니
나
오래오래 기대어 살아가겠습니다

혹여
한두 잎 떨어져 시린 날 있을지라도
지체의 부족함으로 다 말라갈지라도
붉디붉은 시절이 있었음을
부디 잊지 마시길

노을이 지고 있습니다
그리하여 함께 붉어집니다

—「가을 담쟁이」 전문

가을은 조락의 계절이 분명하다. 시인도 가을이 저무는 때에 자기와 타자에 대해 새롭게 인식하는 전환의 자세를 취한다. 그래서 김명지는 가을은 에세이라 호명한다(「가을이 다 갔네라고 말하던 그 시간」). 다른 계절을 대상으로 한 시에서 보여주지 못하는 시적 정서가 있음을 말하는 것이다. 가을 정서가 시성을 담기보다는 시인 자신에 밀착된 감정의 표출이라 고백하는 것이기도 하다. 역설적으로 가장 김명지다운 시의 모습일지도 모른다.

에세이가 주류 장르에 비해 변두리 장르이기에 주목받지 못하지만 카니발레스크 시각에서 본다면 가장 친숙한 형식이기도 하다. 가을 시세時世에서 풍속이 잘 드러나지 않는다. 상차림도 없다. 무엇으로 양식을 삼는가. 그러니 '너울을 버리고 물 빠져 따개비만 성성하던 채석강'(「눈물, 라크리메」)이나 '서른 번의 가을이 지나도록 당도하지 못하는 화절령'(「곤드레밥」)은 여름의 인문지리적 공간성을 띠지 않는다. 맛을 느낄 수 있는 감각이 모두 제거된 채 발효된 관계만 남았다.

시간도 공간도 무화돼버린 거기에 '붉은 이미지'가 지배적이다. 기억 속 '붉디붉은 시절'과 '노을과 함께 붉어지는 지금'은 어떤 차이가 있는가. 김명지 시 세계의 착종이 일어나는 지점이다. 다시 돌아가 김명지가 가을과 겨울 사이 간극에 자리하고 있음을 되새겨보면 이 혼재는 이해할 수 있다. '그대'의 설정은 아직도 극적 상황임을 말해주기 때문이다.

3. 아직 쓰이진 않은 사랑

김명지의 시는 떠도는 자로서 자유영혼과 순종하려는 의지 사이의 갈등의 산물이다. 거기에 바탕을 두고 공간적 이동을 통해 얻은 체험 속에서 내면의 개성을 드러낸다. 한편, 풍속이라는 혹은 전통이라는 특수한 의식 속에서 온전히 함몰되지 않고 자기 감수성을 유지하려는 데서 풍속적이지만 풍속에서 벗어난 시의 예술적 형식을 일군다. 다시 말해 자아추구의 강렬한 의지, 자신과의 싸움, 구원의 열정, 갈망의 기록이라는 측면에서 풍속이 지니는 소망과 염원의 기능을 수행한다.

세시풍속의 층위에서 삶과 죽음, 재생 원리에 따라 움직이는 카니발적 세계 원리를 포착할 수 있다. 특히 김명지 시의 특징인 음식 풍속은 '시작도 끝도 없는 삶'을 대상으로 '뒤집혀진 삶'과 '거꾸로 된 삶'의 시적 표현이라 할 수 있다. 다만 전통적 형식과 내용의 반복에서 자유롭지 못하기에 다음 시집에는 새로운 현실의 구성을 도모했으면 한다. 고정화된 극적 형식에서 벗어나야 한다는 것이다. 이는 자신을 버리고 새 몸을 얻는 경이로운 일이다. 이 형식만이 시를 시답게 만들기 때문이다.

김남천의 주장을 통해 풍속에서 시의 세계로 한 단계 넘어가야 할 이유를 찾아보자. 김남천은 "나는 세태를 풍속에까지 높이자는 것이다. 사실을 사실 이상으로, 세태를 세태 이상으로, 현상을 현상 이상으로 파악함으로써 풍속은 비로소 문학적 관념으로 된다. 이렇게 된 풍속은 정황이나 정세 묘출의 대상이고 풍속에 대한 고현학 이상의 연구 관찰은 능히 '디테일의 진실성'을 확보할 수 있을 것이다(「세태와 풍속」, <동아일보>, 1938. 10. 25.)." 이를 볼 때, 세태의 풍속화는 현실을 작가의 개입 없이 객관화시켜 보려는 서사적 기법이라 할 수 있다. 시는 사실을 더 핍진하게 묘사하는 것만을 목적으로 하지 않는다. 또한 적극적인 시인의 개입이 필요하다는 측면에서 현실의 풍속화는 비시적이다. 시가 대상으로 삼는 삶과 죽음의 문제는 공통적 배경 속에서도 현실을 뛰어넘어 개별성을 띠고 있기 때문이다.

이제 '붉은 사랑'에 대해 이야기해야 한다. '붉은색'은 전통적으로 열정과 순수의 상징을 띠고 있다. 몸을 사르는 불길처럼 뜨겁기도 하고, 귀신도 근접할 수 없이 순결하기도 하다. 김명지의 시는 이 중 어디에 속하거나 아니면 둘 다이기도 하다. 그런데 김명지가 시에 담으려는 '붉은 사랑'은 좀 더 다른 것이었으면 한다.

『나무위키』라는 웹사이트를 들어가 보면 찾으려는 개념이나 용어에 '붉은색'을 먹인 것을 볼 수 있다. 거기를 링크하면 아무 내용이 없다. 아직 작성되지 않은 상태다. 그러므로 이렇게 붉게 색을 준 뜻은 '아직 작성되지 않은 문서'라는 의미다. 이를 '붉은 사랑'에 대입해보면 어떨까. '아직 작성되지 않은, 혹은 아직 이루어지지 않은 사랑'은 아닐까. 사랑은 열熱하거나 순한 것이기도 하지만 텅 빈 서판과 같은 것은 아닐까. 김명지의 시에서 아직 쓰이지 않은 붉은 사랑을 읽었으면 한다.

세상 모든 사랑은 붉어라

초판 1쇄 발행 2018년 5월 30일

지은이 김명지
펴낸이 조기조
펴낸곳 도서출판 b

등록 2006년 7월 3일 제2006-000054호
주소 08772 서울시 관악구 난곡로 288 남진빌딩 302호
전화 02-6293-7070(대) 팩시밀리 02-6293-8080
홈페이지 b-book.co.kr 이메일 bbooks@naver.com

ISBN 979-11-87036-57-9 03810

값_10,000원